C'EST ICI QUE TOUT COMMENCE

Il faut lire les cases dans l'ordre des chiffres indiqués et, à l'intérieur de chaque case, suivre l'ordre alphabétique. Bonne lecture.

CHOBITS

6

SATSUKI IGARASHI
NANASE OHKAWA
MICK NEKOI
MOKONA APAPA

LE PATRON M'A BIEN DIT QUE QUELQU'UN AVAIT PRIS MA PLACE APRÈS MON DÉPART...
C'ÉTAIT TOI, YUMI-CHAN... ?
OUI...

CHOBITS
- CHAPITRE 61 -

ADIEU, ÇA VEUT DIRE QU'ON SERA LOIN L'UN DE L'AUTRE...
QU'ON NE POURRA PLUS SE REVOIR...
C'EST QUELQUE CHOSE DE TRÈS TRISTE...

TES DOULEURS PASSÉES..
TU AURAIS DÛ TOUTES LES OUBLIER...
FIOU
ÇA FAIT MAL LÀ...
MAIS TON CŒUR S'EN SOUVIENT...

C'est un souvenir de celle que tu étais avant...
Tchii ne se souvient pas...
Mais ça fait si mal
Quand Tchii entend le mot "adieu" !
Les "adieux" font souffrir...
Les séparations aussi...

OUI...
JE SAIS...
PLUS JAMAIS...
JE NE VEUX RESSENTIR CETTE DOULEUR !

MODE VEILLE
HUMP
ZO UP
TÉLÉ-PHONE !
DZING
DZANG
TÉLÉ-PHONE !
BOING
DZANDZAN
TÉLÉ-PHOOONE !
DZIM
DZIM
TÉLÉ-PHOOONE !
DZIM
DZIM
DZAM

PAS DE RÉPONSE !
COUIC COUIC
ALORS J'ENREGISTRE SUR LA MESSAGERIE VOCALE !
DJ
MESSAGE ENREGISTRÉ !
DZAAM
DAM

QU... QU'EST-CE QUE T'AS ?
ON N'APPLAUDIT PAS ?
HEIN ?
IL FAUT APPLAUDIR !
SUMOMO A BIEN TRAVAILLÉ !
ALORS, IL FAUT APPLAUDIR !
HUM... ET PUIS QUOI ENCORE ?
PFF
APPLAUDIS !
CLAC

CLAP

CLAP
CLAP
CLAP

YOUPI ! YOUPI !
TRALALA
TRALALA
TRALALA
TRALALALA
J'VOUS JURE...
ENTRE TCHII ET CETTE ESPÈCE DE...
MOTO-SUWA A VRAIMENT L'ART DE RÉCUPÉRER DES ORDIS BIZARRES...
BADABOUM
HOP !

APPELLE-MOI SUMOMO !
LÂCHE-MOI UN PEU !

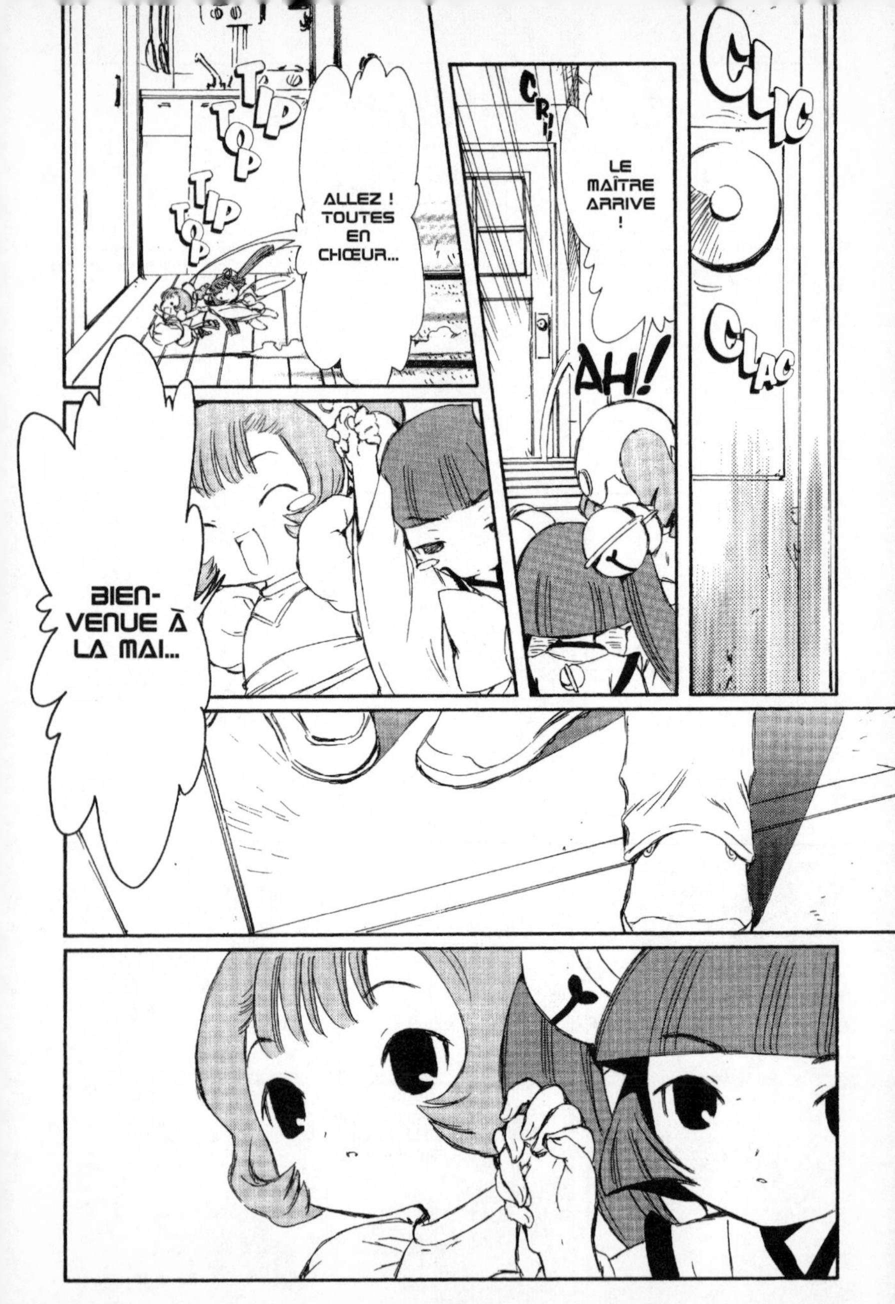
CLIC
CLAC
CRI
LE MAÎTRE ARRIVE !
AH!
TIP TOP
TIP TOP
ALLEZ ! TOUTES EN CHŒUR...
BIEN-VENUE À LA MAI...

CLAC
VOUS AVEZ UNE INVITÉE ?
Oui... LAISSE-NOUS TRANQUILLES, TU VEUX ?
OUI !
TA TA TA TAP

TIENS...
FLAP
SÈCHE TES LARMES AVEC ÇA, SI TU VEUX...
T'INQUIÈTE PAS, ELLE EST PROPRE...
TU PRÉFÈRES PEUT-ÊTRE UN MOUCHOIR ?
SNIF
SNIF
EX... EXCUSE-MOI ! C'EST VRAI QU'UNE SERVIETTE, C'EST PAS...
MAIS NON ÇA VA...

SENPAÏ...
TU ES SI GENTIL...
C'EST VRAI...
J'AI TRAVAILLÉ À CHILOLU...
JUSTE APRÈS TON DÉPART...
IL Y AVAIT UNE ANNONCE SUR LA VITRINE...
MONSIEUR UEDA A ÉTÉ TRÈS GENTIL AVEC MOI...
QUAND IL AVAIT UN PEU DE TEMPS, IL M'APPRENAIT À FAIRE DES GÂTEAUX OU DES BISCUITS...

AH, JE COMPRENDS... LES GÂTEAUX ET LES COOKIES QUE TU M'AS OFFERTS...
C'EST UEDA QUI T'A APPRIS À LES FAIRE ?

IL ÉTAIT SI ATTENTIONNÉ, SI PRÉVENANT... C'ÉTAIT AGRÉABLE DE TRAVAILLER AVEC LUI...
MÊME S'IL ÉTAIT NUL EN CALCUL !
IL ROUGISSAIT SOUVENT POUR PAS GRAND-CHOSE, C'ÉTAIT CRAQUANT...
ALORS... BIEN SÛR...

JE SUIS TOMBÉE AMOUREUSE...

HÉLAS...

JE L'AI AIMÉ CHAQUE JOUR UN PEU PLUS, MÊME SI JE ME RENDAIS COMPTE QU'IL ÉTAIT UN ADULTE.
ET MOI QU'UNE GAMINE QUI FAISAIT SON BOULOT...
JE PENSAIS QUE JE N'AVAIS AUCUNE CHANCE...

MAIS..
MAIS...
JE L'AIMAIS TELLEMENT...

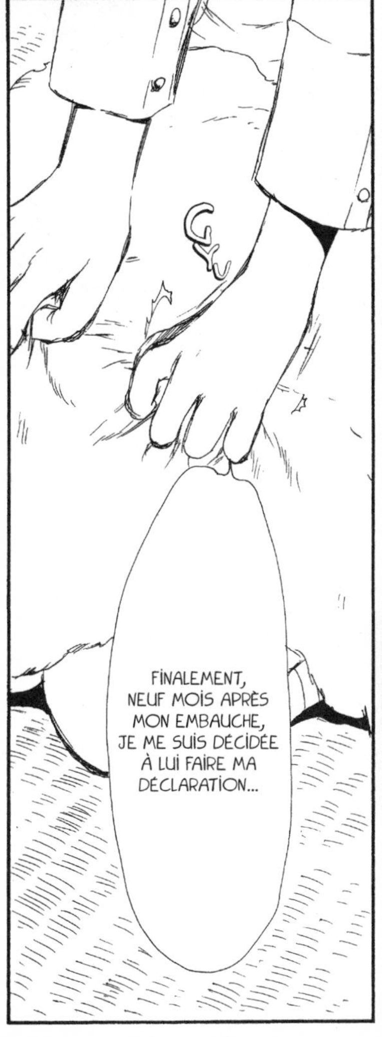
Gyu
FINALEMENT, NEUF MOIS APRÈS MON EMBAUCHE, JE ME SUIS DÉCIDÉE À LUI FAIRE MA DÉCLARATION...

JE T'AIME !
MOI... AUSSI !
C'EST VRAI !?
EUH... OUI...
VRAIMENT VRAI ?
OUI, VRAIMENT !
TU SAIS, SI JE NE T'AIMAIS PAS, JE N'AURAIS PAS COMMANDÉ CETTE TENUE SPÉCIALEMENT POUR TOI...
HEIN !?
JE NE SAVAIS PAS...

EUH... EN FAIT...
EUH...
J'ESPÉRAIS QUE TU RESTERAIS TRAVAILLER LONGTEMPS AVEC MOI !
VOILÀ QUOI !
POURQUOI TU NE M'AS RIEN DIT ?
C'ÉTAIT SI DUR POUR MOI DE TE L'AVOUER !
DÉ... DÉSOLÉ !
MAIS JE PENSAIS QUE J'ÉTAIS TROP VIEUX... ET AUSSI PARCE QUE...
J'AI ÉTÉ MARIÉ !
TOI ? MARIÉ ?
Oui...
TU AS DIVORCÉ ?
NON...
ELLE EST DÉCÉDÉE...

ÇA CHANGE QUELQUE CHOSE POUR TOI ?
PAS DU TOUT !
TOP
DEPUIS, J'AI TOUJOURS VOULU SAVOIR COMMENT ÉTAIT SA FEMME. MAIS CETTE PÉRIODE DE SA VIE LE RENDAIT SI TRISTE, QUE JE N'AI JAMAIS OSÉ LUI DEMANDER...
UN PEU PLUS TARD...
DANS UNE BOUTIQUE DU COIN, J'AI APPRIS PAR HASARD QUE MONSIEUR UEDA AVAIT GAGNÉ UN PRIX DE CUISINE...
PAR MODESTIE, IL NE VOULAIT RIEN ME DIRE...
ALORS, J'AI FAIT UNE RECHERCHE SUR INTERNET POUR EN SAVOIR PLUS...
ET VOILÀ CE QUE J'AI TROUVÉ...
CHAPITRE 61 - FIN

CHAPITRE 62

CHOBITS

JE PEUX FAIRE UNE RECHERCHE INTERNET ICI ?
HEIN ?
OUI, BIEN SÛR !
SUMOMO, TU SAIS FAIRE ÇA ?
OUI !
LES MOTS CLÉS SONT...
HIROYASU UEDA...
GÂTEAU...
CHILOLU...
J'AI 252 RÉSULTATS !
BON, DANS TOUT ÇA...
EST-CE QUE TU TROUVES LE MOT MARIAGE ?

DUIIIII

J'AI 158 RÉPONSES !

ET PARMI CES RÉPONSES EST-CE QU'IL Y A DES SITES DE NEWS AVEC VIDÉO ?
OUI...
IL Y EN A DEUX !

EST-CE QU'ON PEUT LES REGARDER SUR TA TÉLÉVISION ?

C'EST POSSIBLE ?
BIEN SÛR !
IL SUFFIT DE BRANCHER CE CÂBLE !
ZIP
AH ? OK !

VOUS CROYEZ QUE LA CONNEXION INTERNET EST ASSEZ RAPIDE POUR LIRE UNE VIDÉO ?
HEIN ?
IL Y A UN PROBLÈME ?
...
ÇA M'ÉTONNERAIT QUE CET IMMEUBLE REÇOIVE INTERNET EN HAUT DÉBIT...
ÇA RISQUE DE PRENDRE DES HEURES !
PAF
NEWS
HEIN ?

JE LANCE LA VIDÉO !
BIP
CLAP
CLAP
CLAP
CLAP
CLAP
VOUS AVEZ DÉCIDÉ DE VOUS MARIER AVEC UN ORDI...
ÇA NE VOUS POSE PAS DE PROBLÈMES ?
SI, BIEN SÛR !
EN EFFET, ÇA NE DOIT PAS ÊTRE ÉVIDENT D'ASSUMER CE CHOIX VIS-À-VIS DE L'ENTOURAGE...
C'EST ASSEZ PROVOCATEUR...
CE... CE N'EST PAS ÇA LE PROBLÈME !

LE MARIAGE N'EST PAS QUELQUE CHOSE QUI SE DÉCIDE SEUL...
VOTRE FAMILLE S'Y EST OPPOSÉE ?
NON !
ALORS...
C'EST QUOI VOTRE PROBLÈME ?
DE SAVOIR SI JE SUIS CAPABLE DE LA RENDRE HEUREUSE...
VOILÀ LA VRAIE QUESTION...

MAIS...
DANS LE MONDE, IL Y A TOUTES SORTES DE COUPLES...

MÊME SI NOUS SOMMES DIFFÉRENTS DES AUTRES...
J'ESPÈRE, QU'ENSEMBLE, NOUS SERONS CAPABLES DE CONSTRUIRE NOTRE BONHEUR !

AH, JE M'ÉGARE LÀ...
EXCUSEZ-MOI, JE N'AI PAS DU TOUT RÉPONDU À VOTRE QUESTION...
J'AI HONTE
BIP
1
2
JE LANCE LA SECONDE VIDÉO !
DJIII

ZAAAA

VOUS VOUS SOUVENEZ CERTAINEMENT DE CET HOMME QUI AVAIT ÉPOUSÉ SON ORDI... AUJOURD'HUI, UN ACCIDENT DE VOITURE VIENT DE METTRE FIN À LEUR HISTOIRE...
MONSIEUR ! UNE RÉACTION !

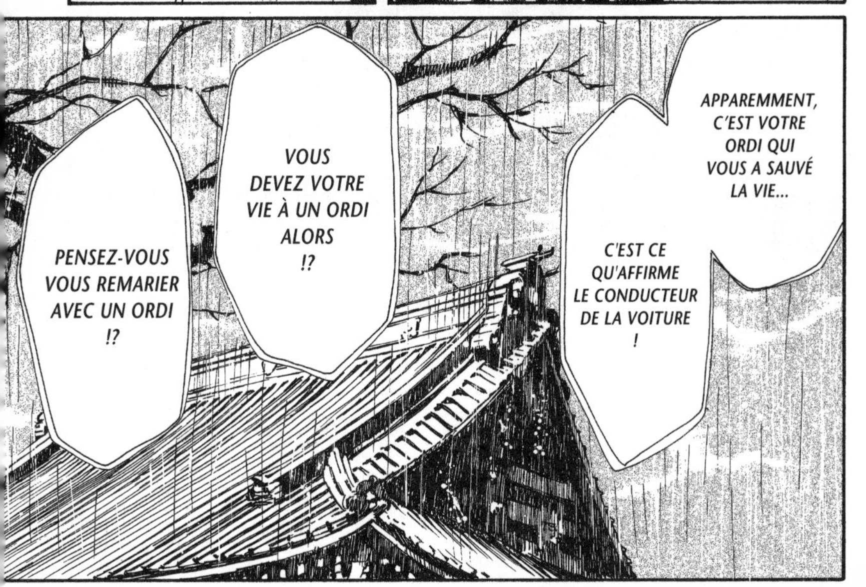
APPAREMMENT, C'EST VOTRE ORDI QUI VOUS A SAUVÉ LA VIE...
C'EST CE QU'AFFIRME LE CONDUCTEUR DE LA VOITURE !
VOUS DEVEZ VOTRE VIE À UN ORDI ALORS !?
PENSEZ-VOUS VOUS REMARIER AVEC UN ORDI !?

CES DERNIERS TEMPS, DE PLUS EN PLUS DE GENS...
OFFRENT DES OBSÈQUES À LEUR ORDI...

ET VOUS...
ALLEZ-VOUS INCINÉRER VOTRE ORDI !?
OU ALLEZ-VOUS SIMPLEMENT LE JETER !?

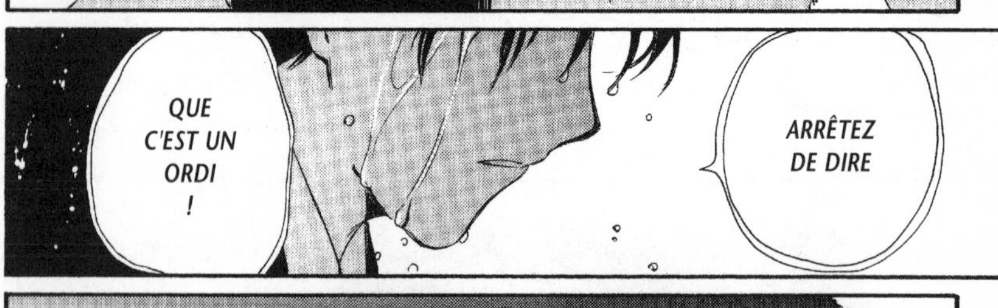
ARRÊTEZ DE DIRE
QUE C'EST UN ORDI !

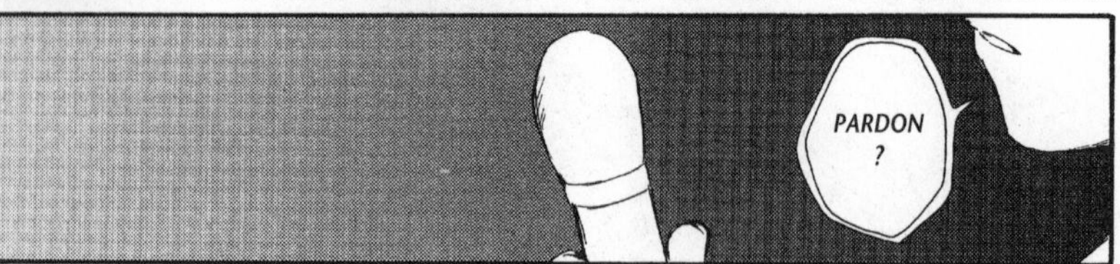
PARDON ?

MA FEMME AVAIT UN NOM...
ALORS, CESSEZ DE PARLER D'ELLE COMME D'UN OBJET...

JE LUI AVAIS DONNÉ UN NOM...
UN NOM QUI LUI PLAISAIT...
ELLE S'APPE-LAIT...
YUMI...

YUMI... ?

HU !
SNIF
MONSIEUR UEDA EST UN HOMME ÉQUILIBRÉ...
MAIS IL L'A AIMÉE AU POINT DE L'ÉPOUSER !

ELLE ÉTAIT RAVIS-SANTE...
ELLE S'EST SACRIFIÉE POUR LUI SAUVER LA VIE !

ELLE AVAIT
LE MÊME NOM
QUE MOI...
ET,
EN
PLUS...
ELLE
AVAIT TOUTES
LES QUALITÉS
D'UN ORDI
!
COMMENT
POURRAIS-JE
AVOIR, UN JOUR,
LA MOINDRE
CHANCE DE
LA REMPLACER
DANS L'ESPRIT
DE MONSIEUR
UEDA
!?
CHAPITRE 62 - FIN

CHAPITRE 63

LE PATRON SOUFFRE... PARCE QU'ON LUI A DIT ADIEU !

C'EST CELLE QUI EST PARTIE EN COURANT QUI A DIT ÇA ?

oui...

ÇA FAIT TOUJOURS MAL...
QUAND QUELQU'UN DIT ADIEU ?
OUI... C'EST TOUJOURS TRISTE, LES ADIEUX...
MAIS...
C'EST ENCORE PLUS DOULOUREUX QUAND C'EST UNE PERSONNE À QUI L'ON TIENT...

ELLE A DIT ADIEU...
ET LE PATRON SOUFFRE.....
ELLE AVAIT L'AIR D'AVOIR MAL AUSSI...
HEIN ?
AVANT DE PARTIR...
ELLE AVAIT L'AIR D'AVOIR MAL...
IL Y AVAIT DE L'EAU DANS SES YEUX...

C'EST QUOI
CETTE EAU... ?

ON APPELLE ÇA...
DES LARMES...

À QUOI ÇA SERT LES LARMES ?
EH BIEN, ÇA VIENT QUAND ON EST TRÈS HEUREUX, OU TRÈS TRISTE...

COMMENT ON APPELLE ÇA ?

PLEURER...

EST-CE QUE CETTE FILLE PLEURAIT DE JOIE ?
NON... C'ÉTAIT DES LARMES DE TRISTESSE...

POURQUOI ÉTAIT-ELLE TRISTE ?
ELLE M'A DIT QUE...
ÇA LA RENDAIT TRISTE DE ME VOIR !
POURQUOI EST-CE QU'ELLE EST TRISTE EN VOYANT LE PATRON ?
POURQUOI... ?
PEUT-ÊTRE...
QU'ELLE ME DÉTESTE !

QU'EST-CE QUE ÇA FAIT DE DÉTESTER ?
ÇA FAIT... QU'ON NE VEUT PLUS VOIR CELUI QU'ON DÉTESTE !
ALORS POURQUOI EST-CE QU'ELLE ÉTAIT DEVANT LE MAGASIN DE QUELQU'UN QU'ELLE DÉTESTE ?
EUH... EH BIEN...

CETTE FILLE...
ELLE EST VENUE BIEN APRÈS QUE TCHII ET HIDEKI SOIENT ARRIVÉS À CHILOLU...
ELLE REGARDAIT LE PATRON...
ELLE AVAIT L'AIR DE SOUFFRIR. MAIS ELLE NE PLEURAIT PAS...
À CE MOMENT-LÀ. ELLE NE PLEURAIT PAS...
ENSUITE. QUAND ELLE A VU TCHII AVEC CES VÊTEMENTS...
IL Y A EU SOUDAIN BEAUCOUP DE LARMES DANS SES YEUX...

À QUI
SONT CES VÊTEMENTS... ?

CE SONT LES VÊTEMENTS DE YUMI...
NON, DE MADEMOISELLE ÔMURA...

YUMI ? ÔMURA ?
QUI SONT CES GENS ?

YUMI ÔMURA...
C'EST UNE SEULE ET MÊME PERSONNE !

J'AVAIS L'HABITUDE DE L'APPELER PAR SON PRÉNOM...
MAIS ELLE M'A DIT UN JOUR QUE ÇA LUI FAISAIT DE LA PEINE...
DEPUIS, JE L'APPELLE PAR SON NOM DE FAMILLE...

TCHII AIME BEAUCOUP QU'ON L'APPELLE PAR SON PRÉNOM...
SURTOUT QUAND C'EST HIDEKI !
POURQUOI EST-CE QUE ÇA LA REND TRISTE QU'ON L'APPELLE PAR SON PRÉNOM ?
PEUT-ÊTRE...
PARCE QU'ELLE NE M'AIME PLUS...
SI ELLE N'AIME PLUS LE PATRON. POURQUOI EST-ELLE VENUE ICI ?
POURQUOI A-T-ELLE PLEURÉ QUAND ELLE A VU CES VÊTEMENTS ?

QU'EST-CE QUI REND TRISTE MADEMOISELLE ÔMURA ?
LE PA-TRON...
HUM
A L'AIR ENCORE PLUS TRISTE...
C'EST À CAUSE DE TCHII ?
NON... RASSURE-TOI...
CE N'EST PAS DE TA FAUTE !

PA-
TRON...
EST-CE QUE TCHII PEUT FAIRE QUELQUE CHOSE ?
POUR QUE ÇA AILLE MIEUX ?

TCHI-
CHAN...
OUI,
TU PEUX
FAIRE
QUELQUE
CHOSE...

SNIF
PARFOIS...
JE SUIS SI
JALOUSE...
SNIF
SNIF
ÇA
M'ARRIVE
DE DIRE
DES CHOSES
PAS TRÈS
GENTILLES...

SNIF
JE SUIS SOUVENT GAIE... MAIS QUELQUES FOIS, JE SUIS DE MAUVAISE HUMEUR...
IL M'ARRIVE MÊME DE MENTIR...
OU D'ÊTRE BLESSANTE AVEC CERTAINES PERSONNES...
MAIS QU'EST-CE QUE J'Y PEUX ?
JE NE SUIS PAS UN ORDI, MOI !
CHAPITRE 63 - FIN

CHOBITS

CHAPITRE 64

MES COPINES DE COURS ET MES COLLÈGUES DE TRAVAIL...
TROUVENT TOUTES QUE LES ORDIS, C'EST GÉNIAL !
MOI AUSSI AVANT DE RENCONTRER MONSIEUR UEDA...
JE PENSAIS LA MÊME CHOSE...
MAIS DEPUIS QUE JE SUIS TOMBÉE AMOU-REUSE DE LUI...
J'AI L'IMPRESSION QU'IL ME COMPARE AVEC L'ORDI QU'IL A ÉPOUSÉE...
ÇA FAIT SI PEUR... SI MAL...

JE SAIS QUE C'EST DUR, MAIS...
J'AI DÛ LUI DIRE QU'IL ME RENDAIT TRISTE...
MAIS...
ÇA NE VA PAS MIEUX POUR AUTANT !
NON...
DEPUIS QUE JE NE LE VOIS PLUS...
JE SUIS ENCORE PLUS MALHEUREUSE !

FLAP
DIS-MOI...
DEPUIS QUE JE TRAVAILLE AU RESTAU...
TU AS TOUJOURS ÉTÉ TRÈS GENTILLE AVEC MOI...
EST-CE QUE...
C'EST PARCE QUE MOI AUSSI J'AI TRAVAILLÉ À CHILOLU ?

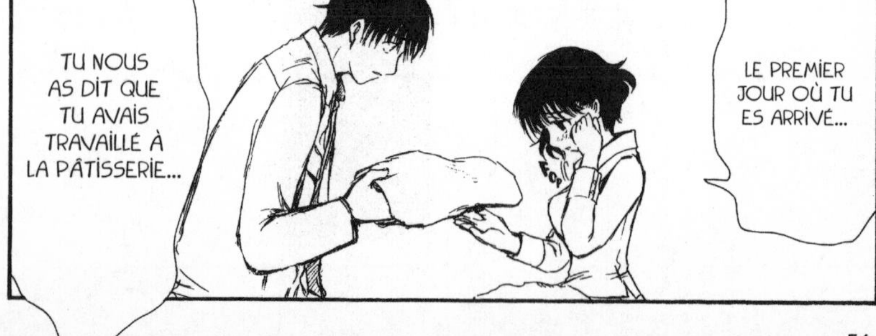
LE PREMIER JOUR OÙ TU ES ARRIVÉ...
TU NOUS AS DIT QUE TU AVAIS TRAVAILLÉ À LA PÂTISSERIE...

ALORS
C'EST POUR ÇA QUE JE T'INTÉRESSAIS... ?
OUI, MAIS CE N'EST PAS LA SEULE RAISON !
J'AI APPRIS À TE CONNAÎTRE ! TU ÉTAIS TRÈS SYMPA...
JE PASSAIS DE BONS MOMENTS AVEC TOI !
MOI, JE SUIS FILLE UNIQUE...
SNIF
J'ÉTAIS HEUREUSE D'AVOIR ENFIN TROUVÉ UN GRAND FRÈRE !
AHAHA
UN... GRAND FRÈRE... ?
D'ACCORD

ET PUIS...
TOI, AU MOINS, TU NE PENSAIS PAS COMME LUI...
SENPAÏ...
AH BON ?
UN JOUR, TU M'AS DIT QU'UN ORDI, MÊME LE PLUS JOLI, C'ÉTAIT TRÈS DIFFÉRENT D'UN HUMAIN...

PLUS IMPORTANT QUE TOUT ?
TU OUBLIES QUE C'EST UN ORDINATEUR !
MAIS...
C'EST VRAI QU'ELLE EST ADORABLE...

ÇA N'A RIEN À VOIR AVEC UN ÊTRE HUMAIN !
CES PAROLES...
M'ONT RÉCONFORTÉE !

POF
YUMI-CHAN... TU AS DÛ AVOIR BEAUCOUP DE PEINE !
TU L'AIMES VRAIMENT...
ET ÇA T'A BRISÉ LE CŒUR !
SENPAÏ...
MAIS...
JE PENSE QUE LUI AUSSI A BEAUCOUP SOUFFERT !
SON HISTOIRE AVEC SON ORDI LE PROUVE... UEDA A TOUJOURS ÉTÉ DROIT ET SINCÈRE...
IL NE S'EST PAS MARIÉ AVEC À LA LÉGÈRE !

JE SAIS...
JE SAIS BIEN COMMENT IL EST...
OUI...
EH BIEN PUISQU'IL EST COMME ÇA...
S'IL A RÉPONDU À TON AMOUR...
ÇA VEUT DIRE QU'IL LE PENSAIT DU FOND DE SON CŒUR...
IL M'A DÉJÀ UN PEU PARLÉ DE CETTE HISTOIRE...
DE SON MARIAGE AVEC SON ORDI...
IL ESSAYAIT DE NE PAS TROP LE MONTRER...
MAIS J'AI BIEN VU À QUEL POINT IL ÉTAIT TRISTE...

LA VIDÉO QU'ON VIENT DE VOIR...
ME CONFORTE DANS MON OPINION...
MAIS MALGRÉ TOUT...
IL EST TOMBÉ AMOUREUX DE TOI !
JE SUPPOSE QU'IL N'Y A RIEN DE PIRE QUE DE PERDRE CELLE QU'ON AIME...
ÇA NE DOIT PAS ÊTRE ÉVIDENT DE POUVOIR À NOUVEAU AIMER QUELQU'UN APRÈS ÇA...
SA PEINE EST PROPORTIONNELLE À L'AMOUR QU'IL ÉPROUVAIT...

MALGRÉ TOUT, IL EST TOMBÉ AMOUREUX DE TOI, YUMI-CHAN !
ET, MOI, JE TROUVE ÇA FORMIDABLE !
JE PENSE QU'APRÈS CE QU'IL A VÉCU...
IL NE CHERCHE PAS À TE COMPARER À SON EX-FEMME. CE N'EST PAS SON GENRE...
ET TOI, SENPAÏ, TU NE TE POSES PAS LA QUESTION... ?

TU N'AIMERAIS PAS SAVOIR QUI A AIMÉ AVANT TOI, CELLE QUE TU AIMES... ?
JE ME DEMANDE À QUOI RESSEMBLAIT TON ANCIEN MAÎTRE...
ÇA FAIT MAL LÀ...
ÇA M'ARRIVE, OUI...
MAIS JE NE FAIS PAS DE COMPARAISON...
POURQUOI ?

PARCE QUE...
MOI, JE NE VOUDRAIS PAS QU'ON ME COMPARE À QUELQU'UN...
HEIN

UEDA PENSE COMME MOI...
J'EN SUIS SÛR !

EUH... EXCUSE-MOI ! PEUT-ÊTRE QUE JE M'AVANCE UN PEU, LÀ... JE NE DOIS PAS PARLER À SA PLACE NON PLUS...
EN PLUS, ON N'A JAMAIS ABORDÉ LE SUJET TOUS LES DEUX...

POUR-
TANT...
JE SUIS
TOUT À FAIT
D'ACCORD
AVEC TOI,
HIDEKI
!
HEIN
?
CHAPITRE 64 - FIN

CHOBITS

CHAPITRE 65

SU
TCHII !
UEDA !
GYU
COMMENT SAVAIS-TU QU'ON ÉTAIT ICI ?
C'EST GRÂCE À TCHII-CHAN !
JE LUI AI DEMANDÉ DE SE CONNECTER SUR L'ORDI PORTABLE DE YUMI POUR SAVOIR OÙ VOUS ÉTIEZ...

FOUILLE
FOUILLE
MAIS JE NE COMPRENDS PAS...
HEIN?
ÇA N'A PAS SONNÉ...

JE SUIS DÉSOLÉ DE PASSER À L'IMPROVISTE !
JE T'EN PRIE...
INSTALLE-TOI !
HA
FOUP
FOP

DÉSOLÉ, TOUT EST DE MA FAUTE...
NON
NON
MAIS NON... CE N'EST PAS TA...
SI...
C'EST MA FAUTE !
SI JE T'AVAIS TOUT DIT DEPUIS LE DÉBUT...
J'AURAIS PU T'ÉPARGNER BIEN DES LARMES...
J'AI PERDU MA FEMME...
LE SOUVENIR DE CE JOUR DE PLUIE ME HANTAIT...
J'ÉTAIS SI MALHEUREUX...

MAIS...
JE T'AI RENCONTRÉE, YUMI-CHAN...
C'EST VRAI QUE J'AI ÉTÉ SURPRIS QUAND J'AI SU QUE TU PORTAIS LE MÊME PRÉNOM QUE MA FEMME...
MAIS YUMI, C'EST YUMI ET, TOI, YUMI-CHAN, TU ES YUMI-CHAN !
EN PLUS...
JE NE ME SUIS PAS MARIÉ AVEC ELLE PARCE QUE C'ÉTAIT UN ORDI...
JE L'AI ÉPOUSÉE PARCE QU'ELLE ÉTAIT COMME ELLE ÉTAIT...

DE LA MÊME MANIÈRE, JE SUIS TOMBÉ AMOUREUX DE TOI PARCE QUE TU ES COMME TU ES !
J'AI L'IMPRESSION QUE...
TU CROIS QUE YUMI... JE VEUX DIRE QUE LES ORDIS SONT PARFAITS...
MAIS C'EST FAUX !
AH
COMME CE SONT DES ORDIS, IL Y A DES CHOSES QU'ILS PEUVENT FAIRE...
ET D'AUTRES QU'ILS NE PEUVENT PAS FAIRE...

IL EN EST DE MÊME POUR LES HUMAINS... CERTAINES CHOSES SONT DANS NOS CORDES, ET D'AUTRES NON...

EN FAIT...
LA CONDITION DE L'ORDINATEUR...
EST PLUS TRISTE QUE CELLE DE L'HUMAIN !

POUR UN HUMAIN, QUAND LE CŒUR S'ARRÊTE OU QU'ON NE RESPIRE PLUS...
IL MEURT ET TOUT EST FINI !
MAIS PAS UN ORDI... IL NE MARCHE PLUS, C'EST TOUT...
ET PUIS...
NOUS, LES HUMAINS, ON OUBLIE NOS MAUVAIS SOUVENIRS AVEC LE TEMPS...
MAIS LES ORDIS, EUX, NE PEUVENT RIEN OUBLIER, SAUF SI LEUR MAÎTRE LE LEUR PERMET...

ÇA VEUT DIRE...
QUE MÊME LEURS PLUS BEAUX SOUVENIRS...
PEUVENT ÊTRE EFFACÉS PAR QUELQU'UN D'AUTRE...

POUR LES ORDIS...
LA MÉMOIRE EST AUSSI ESSENTIELLE QUE POUR LES HUMAINS...
MAIS ILS NE PEUVENT PAS EN DISPOSER LIBREMENT...

JE...
JE...
JE NE PENSAIS PAS ÊTRE CAPABLE DE TOMBER AMOUREUX À NOUVEAU...
J'AVAIS SURTOUT PRIS LA RÉSOLUTION DE NE PLUS JAMAIS AIMER UN ORDI...
MAIS...
TOI, YUMI-CHAN...
JE T'AIME VRAIMENT ! ET, MALGRÉ TOUTES MES RÉSOLUTIONS, SI TU ÉTAIS UN ORDI, JE SERAIS AUSSI TOMBÉ AMOUREUX DE TOI !

DÉSOLÉ, JE NE VOULAIS PAS TE FAIRE PLEURER...
AH !
EN PLUS, JE T'AI ENCORE APPELÉE YUMI-CHAN ! EXCUSE-MOI !
ZUT
NON NON
ZOUP
AAAAAA
FLAP
TCHII !?

TCHII A FAIT UNE ERREUR...
LE PATRON M'A DIT QUE CET UNIFORME APPARTIENT À MADEMOI-SELLE ÔMURA...
MERCI !
GYU

PAR-DON...
JE SUIS VRAIMENT DÉSOLÉE...
TU...
TU M'AS...
MERCI DE M'AIMER !
MERCI !
CHAPITRE 65 - FIN

CHAPITRE 66

CHOBITS

PÂTISSERIE CHILOLU
DING DONG
KI
SALUT !
C'EST GENTIL DE VENIR LA CHERCHER !
ELLE EST EN TRAIN DE SE CHANGER...
YUMI-CHAN SORTIRA DU BOULOT DANS UNE HEURE...
D'ACCORD !
ELLE M'A DIT DE TE DIRE QU'ELLE PASSERAIT TE VOIR JUSTE APRÈS...
JE TE TRANSMETS LE MESSAGE...
TOUT ROUGE
EH EH
AH.. TRÈS BIEN...
MER... MERCI BEAUCOUP !

JE SUIS CONTENT POUR VOUS !
VOUS AVEZ ENFIN PU EN DISCUTER TOUS LES DEUX...
C'EST GRÂCE À TCHII...
ET GRÂCE À TOI AUSSI !
NON, JE N'AI RIEN...
YUMI-CHAN M'A TOUT RACONTÉ...
ELLE M'A DIT QUE TU L'AVAIS RATTRAPÉE POUR PARLER AVEC ELLE !
ET TU AS EU RAISON DE LE FAIRE...

C'EST GRÂCE À TOI QUE LA SITUATION S'EST DÉBLOQUÉE !
C'EST VRAI QUE YUMI-CHAN ET MOI...
NOUS AVONS UNE GRANDE DIFFÉRENCE D'ÂGE...
JE VOYAIS BIEN QU'ELLE ÉTAIT TRISTE QUAND ELLE ÉTAIT AVEC MOI...
MAIS COMME JE SUIS VRAIMENT PLUS VIEUX QU'ELLE, JE N'OSAIS PAS LUI AVOUER QUE JE L'AIMAIS...
CE JOUR-LÀ...
SI TCHII NE M'AVAIT PAS UN PEU POUSSÉ EN AVANT...
JE NE PENSE PAS QUE J'AURAIS TROUVÉ LE COURAGE D'ALLER LUI PARLER...

ELLE EST GÉNIALE, TA TCHII-CHAN !
OUI...
COUCOU
HIDEKI !
MERCI D'ÊTRE VENU ME CHERCHER !

TU AS BIEN TRAVAILLÉ AUJOURD'HUI !
COURBETTE
MERCI BEAUCOUP !
DING DONG
KIII
BON, TCHII...
ON Y VA ?
OUI !
COURBETTE
À DEMAIN !
OUI, À DEMAIN ALORS !

CHILO
COURBETTE

MIAOU

HIDEKI !
HIDEKI !
DIS...
OUI ?

DAM
TCHII MOTOSUWA
PATISSERIE CHILOLU
C'EST L'ARGENT QUE TCHII A GAGNÉ !
AH... C'ÉTAIT AUJOURD'HUI TON JOUR DE PAYE ? BRAVO !
AVEC ÇA, TCHII VEUT ACHETER QUELQUE CHOSE POUR HIDEKI !

JE TE L'AI DÉJÀ DIT...
C'EST TON ARGENT, TCHII...
NONONONON

C'EST L'ARGENT DE TCHII...
ET TCHII VEUT L'UTILISER POUR FAIRE PLAISIR À HIDEKI !

AUJOUR-D'HUI LE PATRON VA FAIRE UN CADEAU !
UN CADEAU ? POUR QUI ?
POUR QUELQU'UN QUI DOIT PASSER LE VOIR PLUS TARD...
AH ? YUMI-CHAN !
TOP TOP

IL L'AVAIT ACHETÉ POUR SON ANNIVERSAIRE IL Y A LONGTEMPS MAIS IL N'AVAIT PAS PU LUI OFFRIR...
ALORS IL A DIT QU'IL LUI DONNERAIT AUJOUR-D'HUI !
YUMI-CHAN SERA TRÈS CONTENTE !

TCHII VEUT FAIRE UN CADEAU AUSSI...
SI TCHII FAIT UN CADEAU...
HIDEKI SERA CONTENT AUSSI ?
HA...

FLA

OUI...
ÇA ME FERA TRÈS PLAISIR !

TAP TAP TAP
EH !
ATTENTION, TU VAS TOMBER !
TCHII NE VA PAS TOMBER ! TCHII VA VITE ACHETER QUELQUE CHOSE POUR HIDEKI !

JE NE ME SUIS PAS MARIÉ AVEC ELLE PARCE QUE C'ÉTAIT UN ORDI !
JE L'AI ÉPOUSÉE PARCE QU'ELLE ÉTAIT COMME ELLE ÉTAIT...
DE LA MÊME MANIÈRE, JE SUIS TOMBÉ AMOUREUX DE TOI PARCE QUE TU ES COMME TU ES !
TCHÎI...

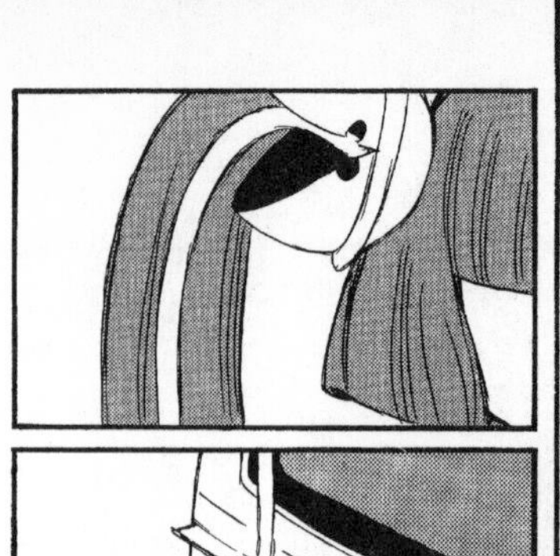

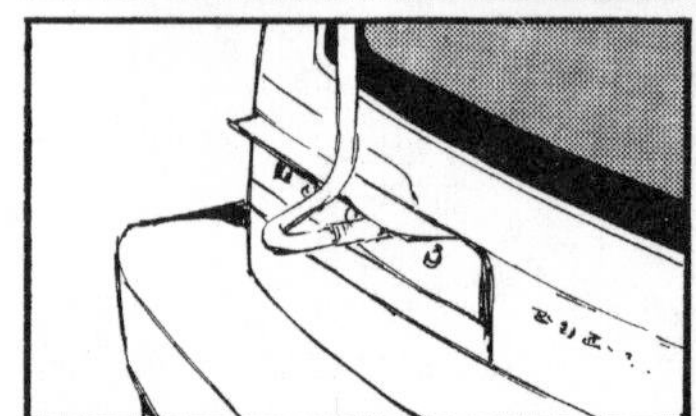

QU'EST-CE QUE TU FAIS KOTOKO ?
JE FAIS DES RE-CHERCHES...
JE SUIS PROGRAMMÉE POUR ÇA. EN CAS DE RENCONTRE AVEC UN ORDI RARE OU AUX COMPÉTENCES INHABITUELLES...
AHAAAAN
OUAH... EH BEN DIS DONC !

SUMONO, ELLE EST PROGRAMMÉE POUR DANSER QUAND ELLE EST EN ATTENTE !
DOUBI DOUBA
COMME ÇA, TU VOIS ?
OLÉ
MÉPRIS
TAC

DJIIIIIIIIIII

C'EST BIEN CE QUE JE PENSAIS...
DOUBI
HEIN ? QU'EST-CE QUE TU DIS ?

CHAPITRE 66 - FIN

CHOBITS

CHAPITRE 67

HUM...
UP
ZO
ET ÇA, EST-CE QUE ÇA PLAÎT À HIDEKI ?
HUM...
QUOI, ÇA !?
POUIC
CE N'EST PAS BIEN ?

QUELQUE CHOSE QUI PLAÎT À TCHII ?
SI ÇA TE PLAÎT À TOI, ALORS ÇA M'IRA PARFAITEMENT !
OUI...
HM

QUELQUE CHOSE QUI PLAÎT À TCHII...
EUH...

¥1000
¥1000
TOK

C'EST
UNE BAGUE...

UNE BAGUE ?
OUI !
ÇA SE MET AU DOIGT...
HIBIYA AUSSI EN A UNE...

SUU
SUR CE DOIGT...
LUI AUSSI EN PORTAIT UNE..?
ELLES ÉTAIENT EXACTEMENT PAREILLES.

METTRE UNE BAGUE, ÇA FAIT MAL ?
NON...

MAIS TU AS UN VISAGE TRISTE...

POURQUOI LES BAGUES ÉTAIENT-ELLES IDENTIQUES ?
PARCE QUE PORTER UNE BAGUE À CE DOIGT EST UNE PREUVE D'AMOUR RÉCIPROQUE...

AMOUR...
TCHII ? ÇA VA ?
HUM
VOILÀ CE QUI PLAÎT À TCHII...
HEIN ?

UNE BAGUE ?
EUH.. COMMENT DIRE...
UM !
TOUT ROUGE
ÇA NON PLUS...
CE N'EST PAS BIEN ?
NON, PAS DU TOUT, MAIS C'EST UN PEU UN TRUC DE FILLES QUAND MÊME...
C'EST VRAI QUE J'AI VU DES MECS PORTER DES BAGOUSES, MAIS JE SAIS PAS TROP SI C'EST MON STYLE...
OH... ?!
NON !

SI C'EST ÇA QUI TE PLAÎT, ALORS ÇA ME VA...
LE CENTRE DES REGARDS
HA
EUH... BON JE T'ATTENDS DEHORS, HEIN ?
TING

Piffle
AH LA HONTE !
OUF
Piffle
TOP
TOP
CRATCH
CRITCH
VOILÀ, HIDEKI !
MERCI !

GLINK

JE LA METS LÀ, TU VOIS !

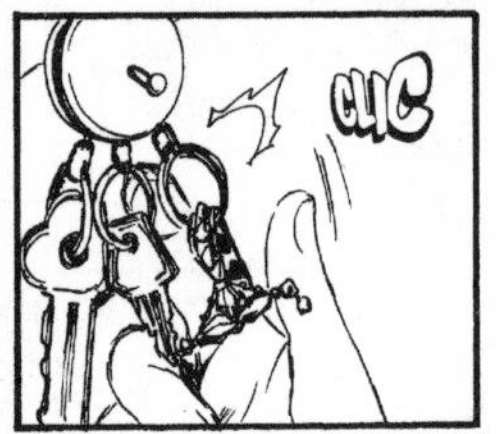
CLIC

HIDE-KI...
NE LA MET PAS AU DOIGT ?

BEN... NON...
HÉHÉ
QUAND MÊME...
C'EST UN PEU LA HONTE !
TOUT ROUGE
HÉHÉ
ET PUIS...
JE NE VEUX PAS LA PERDRE !
SURTOUT QU'AU BOULOT, JE FAIS SOUVENT LA VAISSELLE...
J'EN PRENDRAI SOIN !
BON...
ON RENTRE ?

CHAPITRE 67 - FIN

CHOBITS

CHAPITRE 68

JE SUIS LÀ...
CLAC
BIENVENUE À LA MAISON !
BOING
PAF
AH

IL EST FOU CE SHIMBO !
IL A PROGRAMMÉ SON ORDI N'IMPORTE COMMENT !
SCRATCH
BIENVENUE À LA MAISON, BIENVENUE À LA MAISON ! TOUT S'EST BIEN PASSÉ AUJOURD'HUI ?
HUM..

DJIII
CLIC
TÉLÉ-PHONE !
TÉLÉ-PHONE
TU PEUX DÉCROCHER ?
OUI !
POF
ALLÔ, MOTOSUWA ?
TIENS...
C'EST TOI, MINORU ?
OUI, T'ES OÙ LÀ ?
JE VIENS DE RENTRER À LA MAISON. IL S'EST PASSÉ QUELQUE CHOSE ?
OUI, JE VOUDRAIS TE PARLER...
TU PEUX PASSER CHEZ MOI ?

OK
PAS DE PROBLÈME, J'AI FINI MON BOULOT !
TCHI ?
JE PEUX VENIR AVEC TCHII ? JE N'AIME PAS TROP LA LAISSER SEULE
...
OK, À TOUT À L'HEURE !
HEIN ?
AH... ET PRENDS AUSSI LE PORTABLE DE DRAGONFLY !

J'EN ÉTAIS SÛRE...
TU N'ES PAS UN ORDI COMME LES AUTRES...
FLOU
HOP
C'EST UN PEU ÉTROIT, MAIS JE PENSE QUE TU PEUX ENTRER LÀ-DEDANS ?
FLOUP

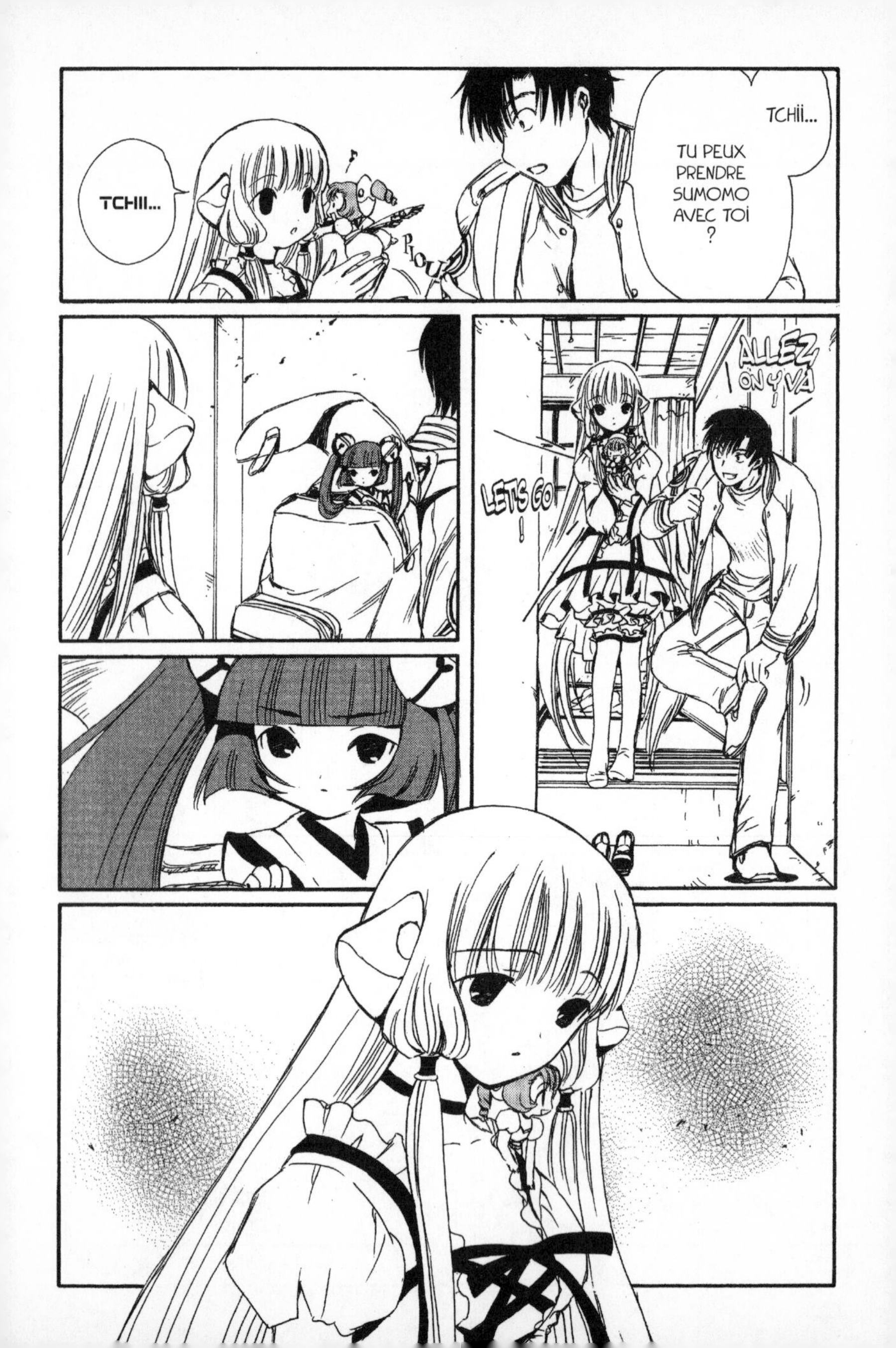
TCHII...
TU PEUX PRENDRE SUMOMO AVEC TOI ?
TCHII...
PIOU
ALLEZ ON Y VA
LETS GO !

KII
BONJOUR !
HEIN ?

QUOI ?
LUI ?
QU'EST-CE QU'IL FOUT ICI !?
CALME-TOI, MOTOSUWA !
ZIP
HM
OUI
TCHII-CHAN, TU PEUX VENIR AVEC MOI ? ON VA ATTENDRE À CÔTÉ...
SMILE
TCHII ?

TCHII VA
ATTENDRE
À CÔTÉ
!
SUMONO
VA ATTENDRE
SAGEMENT
AUSSI !!

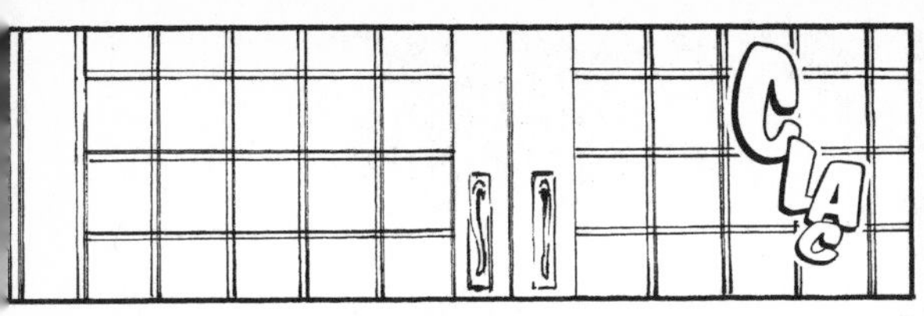
CLAC

J'AURAIS DÛ LA LAISSER À LA MAISON ?
EN FAIT, ON A DES CHOSES À TE DIRE À SON SUJET...

ESPÈCE DE...
QU'EST-CE QUE TU LUI VEUX ENCORE !?
HEIN ?
ATTENDS, MOTOSUWA, J'ALLAIS JUSTEMENT T'EXPLIQUER...
KSSS
BAM

CET ORDi PORTABLE A ENVOYÉ UN E-MAiL À KOJiMA...

CET ORDi QUE TU APPELLES TCHii N'EST PAS UN SiMPLE ORDi... !

RIEN QU'À L'IDÉE QU'UN TEL ORDI SOIT ENTRE LES MAINS D'UN DÉBUTANT COMME TOI...
CHUCHOTE
CHUCHOTE
GRRR
QU'EST-CE QU'ELLE A DE SPÉCIAL, ALORS... ?
TRÈS BONNE QUESTION ! KOTOKO VA NOUS LE DIRE TOUT DE SUITE !

TCHII A LOCALISÉ UN ORDI SANS AVOIR EU BESOIN DE SE CONNECTER AVEC...
ET ALORS... ?
BADA BOUM

TU PERCUTES PAS !?
GRRRR
KSSSS
MAIS TU ES PIRE QUE LE PIRE DES NULS EN INFORMATIQUE !
ET ALORS, J'AI LE DROIT !
RHAAAA
VOUS PARLEZ DE LA FOIS OÙ TCHII A TROUVÉ OÙ ÉTAIT LE PORTABLE DE YUMI-CHAN ?
N'IMPORTE QUEL ORDI SAIT FAIRE ÇA, NON ?
HAAA... IL ME DÉSESPÈRE !
PFFF

CHAPITRE 68 - FIN

CHOBITS

CHAPITRE 69

SI J'AI RÉUSSI À LOCALISER SUMOMO AVEC YUZUKI...
C'EST PARCE QUE SUMOMO A RÉPONDU À MON SIGNAL...
D'APRÈS L'E-MAIL DE KOTOKO...
LE PORTABLE DE CETTE FILLE N'A PAS SONNÉ, N'EST-CE PAS ?
C'EST CE QUE YUMI-CHAN A DIT, OUI...

ET YUMI-CHAN ÉTAIT TRÈS SURPRISE, NON ?
ZAA
OUI !
ELLE L'A SORTI DE SA POCHE POUR VÉRIFIER...
ET JE PEUX VOUS CONFIRMER QU'IL N'ÉTAIT PAS EN MODE SILENCE...
LA COMMUNI-CATION ENTRE LES ORDIS FONCTIONNE DE MANIÈRE RÉCIPROQUE...
PAR CONTRE, TCHII A RÉUSSI À LOCALISER UN ORDI SANS AVOIR BESOIN QU'IL LUI RÉPONDE...
CE QUI VEUT DIRE...

CE...
CE QUI VEUT DIRE ?
QUE TCHII EST CAPABLE DE FORCER LA PROTECTION DES AUTRES ORDIS...
QUELS QUE SOIENT L'ÉTAT, LES PROGRAMMES OU LES CONSIGNES DU MAÎTRE DE L'ORDI CONCERNÉ...

ET ÇA, UN ORDI NORMAL NE PEUT PAS LE FAIRE ?

MAIS BIEN SÛR QUE NON, ENFIN !
PFFF
TU IMAGINES SI TOUS LES ORDIS POUVAIENT SE CONNECTER LIBREMENT AU TIEN ?

LES ORDIS ONT MAINTENANT UNE APPARENCE HUMAINE...
ILS PEUVENT SE DÉPLACER SEULS ET SORTIR SANS LEUR MAÎTRE...

MAIS PERSONNE N'A ENVIE QUE QUELQU'UN D'AUTRE PUISSE ACCÉDER LIBREMENT À SON ORDI...
LES ORDIS SONT DEVENUS TRÈS PERSONNALISÉS ET TOUT TIENT DANS LEUR PROGRAMME...

OUI... BIEN SÛR...
D'AIL-LEURS...
LORSQU'ON A COMMENCÉ À DÉVELOPPER LES ORDIS À FORME HUMAINE...
LE PLUS DUR ÉTAIT DE METTRE AU POINT UNE PROTECTION EFFICACE CONTRE LES INTRUSIONS EXTÉRIEURES...

AH BON ?
OUI !
ET DU COUP...
ÇA AFFECTE LA RELATION ENTRE L'ORDI ET SON MAÎTRE...
ON A VITE FAIT D'OBTENIR UNE INTIMITÉ PRIVILÉGIÉE ENTRE LES DEUX...
PARCE QUE SEUL LE MAÎTRE PEUT INTERVENIR SUR LES PROGRAMMES DE SON ORDI...

MINO-RU…

ALORS ? TU COMPRENDS À QUEL POINT TON ORDI EST SPÉCIAL ?
ZOUM
EN GROS, OUI…

PFF
C'EST VRAIMENT DU GÂCHIS DE LUI LAISSER UN ORDI PAREIL !
POF
IL EST MÊME PAS CAPABLE DE COMPRENDRE À QUEL POINT IL A DE LA CHANCE D'EN AVOIR UN COMME ÇA…
C'EST DONNER DE LA CONFITURE AUX COCHONS !
GRR

DAM
C'EST FINI, OUI ?!
JE TE SIGNALE QUE TCHII A UN NOM !
ALORS T'ARRÊTES DE L'APPELER ORDI !
MOTO-SUWA...

EUH...
MA FEMME AVAIT UN NOM !
ALORS, CESSEZ DE PARLER D'ELLE COMME D'UN OBJET !
JE LUI AVAIS DONNÉ UN NOM QUI LUI PLAISAIT...
TCHII
EST TCHII !
C'EST HIDEKI QUI LUI A DONNÉ CE NOM !
TCHII !

TCHII...
EST-CE QUE JE L'AI...

VIENS, ENTRE !
CLAC
ON VA ATTENDRE ICI, D'ACCORD ?

...
C'EST LA CHAMBRE DE QUI ?
MATE
MATE
C'EST CELLE QUE MINORU M'A DONNÉE...
AVANT, C'ÉTAIT LA CHAMBRE DE SA SŒUR.
TOK

SA SŒUR...
MINORU
KAEDE
EST DÉCÉDÉE !

ILS ONT UN VISAGE HEUREUX...
OUI, JE CROIS, QU'ILS S'ENTENDAIENT TRÈS BIEN...
YUZUKI A UN VISAGE TRISTE...
CHAPITRE 69 - FIN

CHOBITS

CHAPITRE 70

MAÎTRE MINORU M'A DIT QUE SA SŒUR AVAIT TOUJOURS LE SOURIRE AUX LÈVRES...
JE NE DOIS PAS AVOIR L'AIR TRISTE...
YUZUKI N'A PAS LE DROIT ?
NON, CAR J'AI ÉTÉ CONÇUE POUR REMPLACER LA SŒUR DE MINORU...

REM-PLA-CER ?
YUZUKI...
REMPLACE LA SŒUR DE MINORU ?
JE M'Y EFFORCE, MAIS...
MAIS... ?

PER-
SONNE
NE PEUT
PRÉTENDRE
REMPLACER
PARFAITEMENT
QUELQU'UN...
SURTOUT
SI C'EST UNE
PERSONNE
DONT ON A
ÉTÉ AMOU-
REUX...
QUE
L'ON SOIT
ORDINATEUR
OU HUMAIN,
C'EST PAREIL.

MAIS ALORS...
YUZUKI SAIT QUE C'EST IMPOSSIBLE. MAIS ELLE ESSAYE QUAND MÊME DE REMPLACER LA SŒUR DE MINORU ?
POUR-QUOI ?
PARCE QUE...
JE VEUX VOIR MAÎTRE MINORU SOURIRE COMME SUR CETTE PHOTO...
JE VEUX LE VOIR SOURIRE POUR TOUJOURS...
MINORU KAEDE

MAIS MÊME CE SENTIMENT N'EST QUE LE RÉSULTAT DE MON PROGRAMME.
UN ORDI NE SAIT FAIRE QUE CE QU'ON LUI DIT...

UN PRO-GRAMME...
C'EST UNE BONNE CHOSE ?
UNE MAUVAISE CHOSE ?
JE NE SAIS PAS...
JE SUPPOSE QUE ÇA DÉPEND DE CELUI QUI L'A FAIT...
TCHII FONC-TIONNE AVEC UN PRO-GRAMME...
TCHII EST UN ORDI...

ÇA VA, MOTO-SUWA... ?
HA
JE PEUX CONTINUER ?
EUH... OUI !
MAINTENANT, NOUS SOMMES FIXÉS ... TCHII N'EST PAS UN ORDI NORMAL ...

ALORS...
QUE DÉCIDES-TU ?

DE QUOI PARLES-TU ?
TU DOIS DÉCIDER
SI TU VEUX CHERCHER DANS QUEL BUT TCHII A ÉTÉ FABRIQUÉE, ET PAR QUI...
C'EST À TOI DE CHOISIR !
HOBITS

ET SI JE...
JE NE VEUX PAS SAVOIR ?
PAM
MAIS ENFIN, TU NE RÉALISES PAS À QUEL POINT...
STOP
MOTOSUWA, LA DÉCISION T'APPARTIENT !
TCHII... N'EST PAS UN ORDI COMME LES AUTRES, HEIN ?
TOUT À FAIT...

ON AURA BEAUCOUP DE MAL À LA RÉPARER...
ON NE SAIT RIEN DE SON SYSTÈME D'EXPLOITATION NI DES PROGRAMMES INSTALLÉS...

ÇA VEUT DIRE QUE...
SI UN JOUR...
TCHII NE FONCTIONNE PLUS CORRECTE-MENT, DANS L'ÉTAT ACTUEL DES CHOSES...

SI ON EN APPREND PLUS SUR TCHII...
PEUT-ÊTRE QUE JE SAURAIS QUOI FAIRE EN CAS D'URGENCE...
OK...
JE VEUX TOUT SAVOIR !

BON...
JE CROIS QUE LES VACANCES SONT TERMINÉES !
FLA

J'AIMERAIS QU'ELLE LE TROUVE...
QU'ELLE LE TROUVE ENFIN !

CHAPITRE 70 - FIN

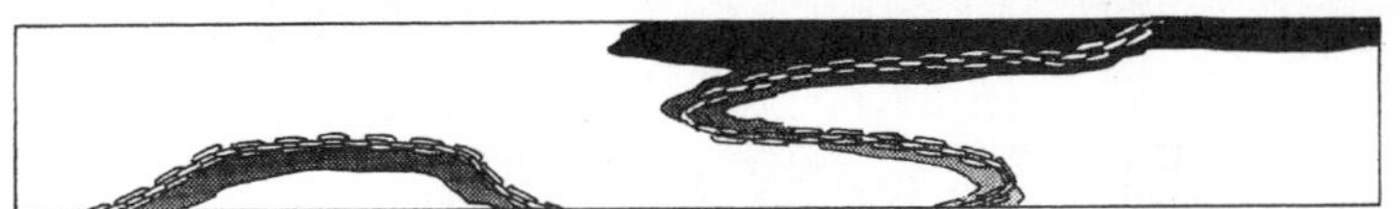

CHAPITRE 71

PLÁF
RIEN À FAIRE...
J'AI CHERCHÉ SUR LE NET DE FOND EN COMBLE, ET JE N'AI TROUVÉ AUCUNE DONNÉE EXPLOITABLE...
ET TOI ?
PAREIL...

ET SI ON PASSAIT UNE DEMANDE SUR LE NET ?
QUELQU'UN POURRAIT NOUS AIDER À TROUVER !
PAS QUES-TION !
ÇA RISQUE D'INTÉ-RESSER UN PEU TROP DE MONDE !
RÉSULTAT :
CERTAINES PERSONNES PEU SCRUPULEUSES AURAIENT PEUT-ÊTRE ENVIE DE L'ENLEVER...
AH ! ?
TCHACK

D'ACCORD !
MAIS T'AS UNE AUTRE IDÉE ? ÇA FAIT DÉJÀ UNE SEMAINE, LÀ !
ON A CHERCHÉ PARTOUT OÙ ON POUVAIT...
...

EN FAIT...
IL NE RESTE PLUS QUE...
LA BANQUE DE DONNÉES NATIONALES...

KOJIMA...
BIEN SÛR, C'EST COMPLÈTEMENT ILLÉGAL...
ET, EN PLUS, L'ACCÈS EST HYPER PROTÉGÉ !
PFF
JE NE SUIS PAS CURIEUX AU POINT DE COURIR CE RISQUE...
BON, JE VAIS DÉJÀ FAIRE TOUT CE QUI EST DANS MES CORDES...
JE COMPTE SUR TOI AUSSI !
HAAA...
POURQUOI JE ME RETROUVE EMBARQUÉ DANS CETTE HISTOIRE ?
BON, C'EST VRAI QUE C'EST UN ORDI EXCEPTIONNEL ET TRÈS INTÉRESSANT, MAIS...

TSS
BAM
KOTOKO A ENCORE TOUT EN MÉMOIRE, HEIN !
ÇA VA... JE SAIS...
MAIS QU'EST-CE QUI M'A PRIS DE LA KIDNAPPER ?

POP

MAÎTRE MINORU, VOUS DEVRIEZ VOUS REPOSER...
VOUS ALLEZ TOMBER MALADE...

JE SAIS...
MAIS J'AI PROMIS À MOTO-SUWA...
DE FAIRE LE MAXIMUM... MÊME SI JE NE TROUVE RIEN... !

QUAND J'AI DEMANDÉ À MOTOSUWA S'IL VOULAIT SAVOIR QUI ÉTAIT TCHII...
IL ÉTAIT D'ACCORD !
MAIS S'IL VEUT EN SAVOIR PLUS, CE N'EST PAS PAR SATISFACTION PERSONNELLE OU POUR POUVOIR SE VANTER D'AVOIR UN ORDI EXCEPTIONNEL...
IL VEUT SIMPLEMENT SAVOIR QUOI FAIRE S'IL ARRIVE QUELQUE CHOSE DE GRAVE À TCHII...
SA RÉPONSE M'A FAIT RÉALISER...
À QUEL POINT TCHII ÉTAIT IMPORTANTE POUR LUI, MÊME SI ELLE N'EST QU'UN ORDI...

MOTO-SUWA EST VRAIMENT QUELQU'UN DE BIEN...
OUI...
MÊME SI TCHII S'AVÈRE ÊTRE UN CHOBITS...
ON PEUT ÊTRE SÛR QUE MOTOSUWA NE LUI FERA RIEN DE MAL...
C'EST POUR ÇA QUE JE VEUX FAIRE DE MON MIEUX POUR L'AIDER...
POUR EUX...

JE VOUS APPORTE DU THÉ...
ET ENSUITE
KIII
POURRAIS-JE REGAGNER MES APPAR-TEMENTS ?

MATE
FRIK
FRAK
PLATS Á EMPORTER

HIDEKI FAIT QUOI ?
JE VAIS PRÉPARER LE DÎNER. IL EST DÉJÀ 19 HEURES...

HIDEKI FAIT LE DÎNER !

JE N'AI RIEN PRÉPARÉ POUR TCHII...
C'EST UN ORDI... ELLE NE MANGE PAS...

C'EST VRAI...
TCHII EST UN ORDI...
MAIS À MES YEUX, ELLE EST MAINTENANT BIEN PLUS QU'UN SIMPLE APPAREIL ÉLECTRO-NIQUE...
TCHII EST TCHII !

PER-
SONNE,
NI UN
HUMAIN
NI UN
ORDI
NE PEUT
LA REM-
PLACER...
MA
TCHII...
TU ES
UNIQUE
AU MONDE
!

HIDEKI A MAL QUELQUE PART ?

NON, JE N'AI MAL NULLE PART !
POUR-QUOI...
HIDEKI SERRE TCHII COMME ÇA ?
JE...
JE N'EN SAIS RIEN...
GYU
CHAPITRE 71 - FIN

CHOBITS

CHAPITRE 72

HM ?
BI BIP
EEEEH !
QUI ÇA PEUT ÊTRE À CETTE HEURE ?
HA

QUELQU'UN ESSAYE D'ENTRER ?
OUAIS...

POUR FORCER L'ACCÈS DE LA BANQUE DE DONNÉES NATIONALES...
IL FAUT AVOIR DU CRAN !

TIENS DONC...
IL FRANCHIT UN PAR UN TOUS MES PROGRAMMES DE PROTEC-TION...
ÇA DOIT ÊTRE UN ORDI ASSEZ PUISSANT !
ON DIRAIT BIEN...
NON... ?
CE SERAIT ELLE ?

NON...
MAIS C'EST TOUT DE MÊME UN GROS MORCEAU !
PAF
CLAP
JE ME CONNECTE !

DITA, TU CONTIENS TOUS LES PROGRAMMES DE SÉCURITÉ NATIONALE. IL VAUT MIEUX QUE TU NE TE CONNECTES PAS...
PAS QUES-TION !

CLIP
AAAH...
J'AI L'IMPRESSION QU'IL VIENT ENCORE DE FORCER UNE PROTECTION !
RRH

DZZ
DZZ

JE VAIS LE FOUTRE DEHORS !
DJ
GNN
AH

ZOOOOOM

DZZZ
DZZ

CRAC
CRAC

PAF

DOM
BIIIP
BOUM
BIIIP

JE CROYAIS QU'ENTRE ORDIS, LA JALOUSIE N'EXISTAIT PAS...

QUAND ON CROIT, C'EST QU'ON N'EST PAS SÛR...
ÇA VEUT DIRE QUOI ÇA ?

À TON AVIS ?

JE DÉTESTE QUAND TU RÉPONDS À MES QUESTIONS PAR D'AUTRES QUESTIONS !
POF
T'ES MIGNONNE...
FLIP
DOMMAGE, SI ÇA AVAIT ÉTÉ ELLE...
ON AURAIT PU ENFIN LA LOCALISER !

À PROPOS JIIMA...
TU NE M'AVAIS PAS DIT QUE TU AVAIS COMPRIS POURQUOI IL AVAIT FABRIQUÉ CET ORDI...

C'EST POS-SIBLE...

ALLEZ, DIS-MOI...
ARRÊTE DE TE DÉFILER !

NOUS SOMMES DES ORDINATEURS GOUVER-NEMENTAUX...

JE CONTIENS TOUTE LA BANQUE DE DONNÉES NATIONALES...

ET TOI, TU ES LÀ POUR PROTÉGER CES FICHIERS...

MALGRÉ TOUT...
ON UTILISE TOUJOURS LE MÊME SYSTÈME ET LES MÊMES MÉCANISMES... CEUX QUE CE GÉNIE A CRÉÉS POUR LES TOUT PREMIERS ORDIS...

ET ALORS ?
ALORS VOILÀ...
J'AI LE SENTIMENT QUE TOUS LES ORDIS SONT UN PEU SES ENFANTS...
ELLE AUSSI, BIEN SÛR...
ET D'APRÈS LES DONNÉES QUI SONT EN MOI...
IL SEMBLERAIT QUE LES PARENTS SOUHAITENT TOUJOURS LE BONHEUR DE LEURS ENFANTS...
JE PENSE QU'IL L'A FABRIQUÉE POUR QUE LES ORDIS PUISSENT UN JOUR SAVOIR CE QU'EST LE BONHEUR !
CHAPITRE 72 - FIN

À SUIVRE

Titre original :
CHOBITS, VOL. 6

First published in Japan in 2002
by Kodansha Ltd., Tokyo
French publication rights
arranged through Kodansha Ltd.

French translation rights : Pika Édition

Traduction et adaptation :
Suzuka Asaoka et Alex Pilot
Lettrage : Sébastien Douaud

ISBN : 2-84599-275-0
Dépôt légal : octobre 2003
Achevé d'imprimer en Belgique
par Walleyn graphics en juillet 2004

Diffusion : Hachette Livre

ATTENTION, SENS INTERDIT !

Ceci est la dernière page du
sixième épisode de Chobits
Pour lire le début de ce volume,
il faut retourner le livre.

Une petite explication vous donnera
le mode d'emploi du sens de lecture,
fidèle à l'original, de droite à gauche,
selon le souhait de son auteur,
CLAMP.